迪士尼双语小影院

101忠狗

101 DALMATIANS

外语教学与研究出版社
FOREIGN LANGUAGE TEACHING AND RESEARCH PRESS
北京　BEIJING

京权图字：01-2009-4592

图书在版编目(CIP)数据

101 忠狗：英汉对照/ 美国迪士尼公司编著；夏寅译. — 北京：外语教学与研究出版社，2009.9（2011.8 重印）
（迪士尼双语小影院）
书名原文：101 Dalmatians
ISBN 978-7-5600-9013-9

Ⅰ. 1… Ⅱ. ①美… ②夏… Ⅲ. 英语—阅读教学—小学—课外读物 Ⅳ. G624.313

中国版本图书馆 CIP 数据核字 (2009) 第 180627 号

universal tool · unique value · useful source · unanimous choice

悠游网—外语学习 一网打尽
www.2u4u.com.cn

外研社旗下网站，打造外语阅读、视听、测试、共享的全方位平台

登录悠游网，您可以：
○ 阅读精品外语读物，独有资源，涵盖广泛，学习必备。
○ 观看双语视频、名家课堂、外语系列讲座。
○ 多元外语测试，检测外语水平和专项能力，获得外语学习方案。
○ 外语资源共享，网友互动，小组讨论，专家答疑，语言学习无疑难。
○ 网站推出众多精彩大礼包，可通过积分换购。

贴心小提示：
悠游网增值服务：提供海量电子文档、视频、MP3、手机应用下载！

出 版 人：蔡剑峰
责任编辑：向恬田
改 编：(美) 芭芭拉·巴萨尔杜亚 (Barbara Bazaldua)
翻 译：夏 寅
封面设计：蔡 颖
设计制作：第五纪
出版发行：外语教学与研究出版社
社 址：北京市西三环北路 19 号 (100089)
网 址：http://www.fltrp.com
印 刷：北京华联印刷有限公司
开 本：787×1092 1/16
印 张：2.5
版 次：2009 年 12 月第 1 版 2011 年 8 月第 3 次印刷
书 号：ISBN 978-7-5600-9013-9
定 价：14.80 元
＊ ＊ ＊
购书咨询：(010)88819929 电子邮箱：club@fltrp.com
如有印刷、装订质量问题，请与出版社联系
联系电话：(010)61207896 电子邮箱：zhijian@fltrp.com
制售盗版必究 举报查实奖励
版权保护办公室举报电话：(010)88817519
物料号：190130001

致家长朋友

当孩子处在适应力最强、语言学习能力最强的关键时期，进行外语启蒙可以获得事半功倍的效果。在对孩子进行外语启蒙的过程中，选择一本适当的双语读物是至关重要的。

"迪士尼双语小影院"系列是您的最佳选择。这套故事书既有趣，能够凭借生动的故事情节和可爱的人物形象赢得孩子的喜爱，又难易适度，让孩子能够轻松入门，掌握基本的外语知识。有趣的内容和简单易懂的英语是优秀双语读物两个最重要的特征。这是因为尽管小学阶段的孩子已经具备相当高的母语认知能力，但他们的英语能力却相当有限。如果双语读物太复杂，会打击孩子的学习热情，如果太简单，又会让孩子觉得无趣。

"迪士尼双语小影院"系列采用中英双语"不对称"对照的方式，中文部分生动有趣，英文部分简单易懂，同时解决了孩子外语学习的意愿和能力问题。为了使孩子的英语水平在阅读中得到切实的提高，我们为每本书设置了一到两个英语学习主题，并围绕这个主题设计了好玩的英语小游戏，为孩子量身打造最适宜的双语学习环境，增强孩子对英语学习的兴趣和热情。同时，"迪士尼双语小影院"系列还以其特有的迪士尼动画片故事情节激发孩子的想象力和创造力。

这套故事书还设置了两个不同的级别。您可以根据孩子的英语水平选择适当的级别，使孩子的英语能力在阅读中得到逐步提高。

美国亚拉巴马大学英语系
"英语为二语教学"专业主任　刘迪麟
英语博士

彭哥是一只斑点狗，他和主人罗杰住在一起。他们俩都是单身汉。

彭哥喜欢上了一只漂亮的斑点狗，她的名字叫做白佩蒂。一天，彭哥发现白佩蒂从窗外路过，他迫不及待地想冲出去和白佩蒂见面。

Pongo is a Dalmatian **dog**. He lives with his owner, Roger. Pongo likes a pretty dog. **Her name is** Perdita. Pongo **wants** to **meet** her.

dog	狗
her name is...	她的名字是……
wants	想要，want的第三人称单数形式
meet	见面

　　散步的时间到了，罗杰带着彭哥来到公园。在一条小河边，他们看见了白佩蒂和她的主人安妮妲。

　　调皮的彭哥跟罗杰和安妮妲开了个玩笑，他用绳子把他们的腿捆在了一起。罗杰和安妮妲没站稳，栽进了小河里。他们的鞋子和帽子都湿了，但他们一点儿也没有生气，反而看着对方笑了起来。

Pongo and Roger go to the **park**. They **see** Perdita and her owner, Anita.

Pongo plays a trick on Roger and Anita. They fall **in** the **water**. Their **shoes** and **hats** are wet. But they just laugh.

park	公园
see	看见
in	在……里
water	水
shoes	鞋，shoe的复数形式
hats	帽子，hat的复数形式

5

罗杰和安妮妲相爱了。不久之后，他们举行了简单的婚礼，成为了夫妻。就在他们结婚的那天，彭哥和白佩蒂也结为伴侣。

Roger and Anita **become husband** and **wife**.
So do the **two** dogs!

become	成为
husband	丈夫
wife	妻子
two	2

7

两对新婚夫妇和他们的好帮手——保姆兰姨住在一起。有一天，白佩蒂告诉彭哥，她怀孕了，就要生宝宝了。想到不久之后就会有可爱的小狗在屋子里活蹦乱跳，大家都很兴奋。

They all live in a house with their helper, Nanny. **One** day, Perdita **tells** Pongo she's going to have puppies. **Everybody** is **excited**.

one	1
tells	告诉，tell的第三人称单数形式
everybody	每个人
excited	兴奋的

on 在……的时候
rainy 下雨的
fifteen 15
sick 生病的
warm 温暖的
happy 快乐的

10

一个风雨交加的夜晚，在兰姨和安妮妲的帮助下，白佩蒂生了15只小狗！

不过，其中一只小狗病恹恹的，一动也不动，好像快要死了似的。罗杰用毛巾包住小狗，让他的身体变得暖和起来。在大家的细心照料下，小狗很快就恢复了健康，大家都高兴极了！

On a **rainy** night, **fifteen** puppies are born!

One little puppy is **sick**. Roger makes the puppy **warm**. Soon it is well. Everyone is **happy**.

就在这时，一个名叫库伊拉的女人来到罗杰家。库伊拉是一个非常刻薄的女人。她听说罗杰家的斑点狗生小狗了，打算出钱把小狗买走。但罗杰说什么也不卖，他一点儿也不喜欢这个库伊拉。彭哥很高兴，他可不愿意失去自己的孩子。

库伊拉恼羞成怒，露出了丑恶的嘴脸。她冲罗杰大吼大叫，还把墨水泼在了罗杰身上。

Then Cruella De Vil comes to visit. She is very mean. She wants to **buy** the puppies. Roger will not **sell** them. He does not like Cruella.

Cruella is **mad**. She makes an **ugly face** and yells. She even splashes **black** ink on Roger.

then	然后
buy	买
sell	卖
mad	生气的
ugly	丑陋的
face	脸
black	黑色的

时间一天天过去，小狗慢慢地长大了。他们想吃就吃，想玩就玩，还总喜欢坐在爸爸妈妈身边看电视。这样的生活让他们觉得既幸福又安全。

可他们没有想到，就在他们一家人其乐融融的时候，库伊拉正琢磨着做坏事呢。

The puppies grow and grow. They like to **eat**, **play**, and **watch TV**. They like to **sit next to** their **mother** and **father**. They feel happy and safe.

They do not know that Cruella is making evil plans.

eat	吃
play	玩
watch TV	看电视
sit	坐
next to	在……旁边
mother	妈妈
father	爸爸

15

steal   偷
bad   坏的
men   男人，man的复数形式
evening   晚上
walk   散步
home   家
take   带走

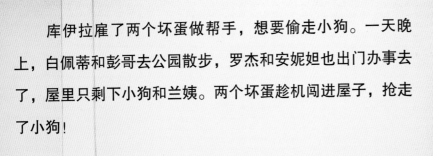

库伊拉雇了两个坏蛋做帮手，想要偷走小狗。一天晚上，白佩蒂和彭哥去公园散步，罗杰和安妮妲也出门办事去了，屋里只剩下小狗和兰姨。两个坏蛋趁机闯进屋子，抢走了小狗！

Cruella wants to **steal** the puppies. She tells two **bad men** to help her.

One **evening**, Perdita and Pongo go for a **walk**. The puppies stay at **home** with Nanny. Then the bad men fight Nanny and **take** the puppies!

得知小狗被抢走后，彭哥和白佩蒂伤心极了。他们大声地呼唤，请他们的朋友来帮忙。许多热心的斑点狗都作出回应，他们十分愿意帮彭哥和白佩蒂找回小狗。

Pongo and Perdita need help! They bark loudly to tell other dogs about the puppies. Many dogs **answer**. They want to help **find** the puppies.

answer　回答
find　找到

19

两个坏蛋把小狗藏在库伊拉乡下的大房子里。最先发现小狗下落的是一只狗和一只猫。他们赶紧把这个消息告诉了彭哥和白佩蒂。

库伊拉偷走小狗的目的是要用小狗的皮做大衣。如果不快点儿救出小狗，小狗就会有危险了！

big	大的
countryside	乡村
cat	猫

The bad men hide the puppies. They are in Cruella's **big** house in the **countryside**.

A dog and **cat** find them. Soon, Pongo and Perdita learn where the puppies are hidden. They hurry to save them!

彭哥和白佩蒂听到消息后立即出发去救小狗。他们冒着大雪，穿过长长的街道，游过冰冷的河水，终于来到了关小狗的房子前。

彭哥和白佩蒂从窗户跳进房子里。他们发现里面竟然关着99只小狗！彭哥和白佩蒂跟两个坏蛋搏斗起来，小狗趁机逃了出去。

run	跑
snow	雪
swim	游泳
cold	冷的
river	河
jump	跳
window	窗户
ninety-nine	99
inside	在里面

Pongo and Perdita **run** through the **snow**. They **swim** across a **cold river**. At last, they reach the house.

Pongo and Perdita **jump** through a **window**. They find **ninety-nine** puppies **inside**! Pongo and Perdita fight the bad men. The puppies run out.

彭哥和白佩蒂带着99只小狗，迎着风雪艰难地向前走。小狗的脚都冻僵了，鼻子和尾巴也冻得麻木了。他们又冷又饿，但是却不能停下来。他们必须在库伊拉找到他们之前赶回家。

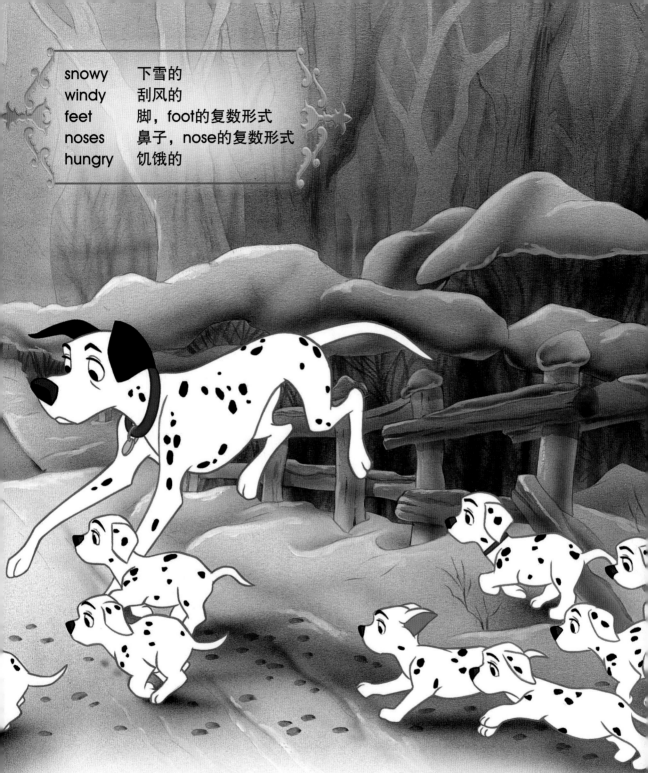

snowy　　下雪的
windy　　刮风的
feet　　　脚，foot的复数形式
noses　　鼻子，nose的复数形式
hungry　　饥饿的

Pongo, Perdita and all the puppies walk and walk. It is **snowy** and **windy**. The puppies have cold **feet**. Their **noses** and tails are cold. They are **hungry**. But they must not stop. They must get home before Cruella finds them.

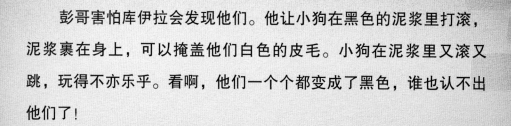

彭哥害怕库伊拉会发现他们。他让小狗在黑色的泥浆里打滚，泥浆裹在身上，可以掩盖他们白色的皮毛。小狗在泥浆里又滚又跳，玩得不亦乐乎。看啊，他们一个个都变成了黑色，谁也认不出他们了！

Perdita is **scared** Cruella will see them. Pongo tells the puppies to roll in black dirt. It hides their **white** fur. The puppies have **fun getting** dirty.

scared 害怕的
white 白色的
fun 乐趣
getting 变得，get的现在分词

van 卡车

一辆开往城里的卡车停在了彭哥他们面前，彭哥决定搭卡车回家。他和白佩蒂把小狗一个接一个地送上卡车。就在这时，屋顶的积雪融化了，滴下来的水洗掉了一只小狗身上的泥浆，小狗又变回了白底黑点的斑点狗。天哪，不好了！开车路过这里的库伊拉发现了他！

Pongo and Perdita put the puppies in a **van**. But water splashes a puppy.
It cleans him. He's white and black again! Oh no! Cruella sees him.

就在这危急时刻，卡车开动了。库伊拉用力踩油门，想要拦住卡车。但由于她开得速度太快，她的红色轿车在雪地上打滑了。轿车滚下了山坡，撞得粉碎。库伊拉气疯了，她再也抓不到小狗了。小狗终于安全了，他们忍不住欢呼起来。

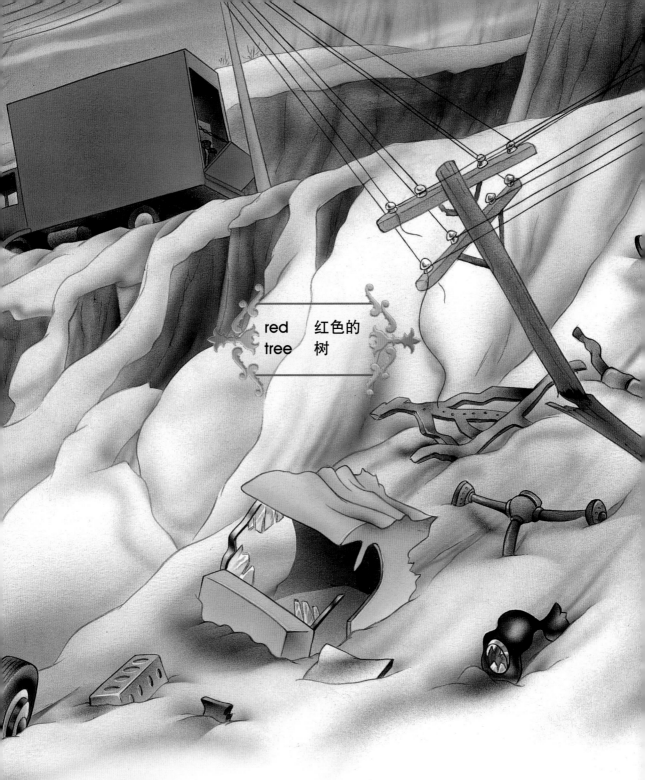

red 红色的
tree 树

Cruella races after the van. But she drives too fast. Her big **red** car slides off the road. It hits a **tree** and breaks apart.

Cruella is mad. She can't get the puppies. Hurray!

彭哥和白佩蒂终于带着小狗回到了家。罗杰、安妮妲和兰姨深情地拥抱了他们，然后给他们好好地洗了个澡。罗杰和安妮妲数了数，现在他们有101只斑点狗了。

从那以后，他们一家人过上了平安幸福的生活。

At last, Pongo, Perdita, and the puppies come home. Roger, Anita, and Nanny **hug** them. They **wash** them. They count **one hundred and one** Dalmatians.

Everybody is safe and happy together.

hug	拥抱
wash	洗
one hundred and one	101

33

词 汇 表

A
answer 回答

B
bad 坏的
become 成为
big 大的
black 黑色的
buy 买

C
cat 猫
cold 冷的
countryside 乡村

D
dog 狗

E
eat 吃
evening 晚上
everybody 每个人
excited 兴奋的

F
face 脸
father 爸爸
feet 脚，foot的复数形式
fifteen 15
find 找到
fun 乐趣

G
getting 变得，get的现在分词

H
happy 快乐的
hats 帽子，hat的复数形式
her name is... 她的名字是……
home 家
hug 拥抱
hungry 饥饿的
husband 丈夫

I
in 在……里
inside 在里面

J
jump 跳

M
mad 生气的
meet 见面
men 男人，man的复数形式
mother 妈妈

N
next to 在……旁边
ninety-nine 99
noses 鼻子，nose的复数形式

O
on 在……的时候
one 1
one hundred and one 101

P
park 公园
play 玩

R
rainy 下雨的
red 红色的
river 河
run 跑

S
scared 害怕的
see 看见
sell 卖
shoes 鞋，shoe的复数形式
sick 生病的
sit 坐
snow 雪
snowy 下雪的
steal 偷
swim 游泳

T
take 带走
tells 告诉，tell的第三人称单数形式
then 然后
tree 树
two 2

U
ugly 丑陋的

V
van 卡车

W
walk 散步
wants 想要，want的第三人称单数形式
warm 温暖的
wash 洗
watch TV 看电视
water 水
white 白色的
wife 妻子
window 窗户
windy 刮风的

单词热热身

下面一共有几只狗呢？快来数一数吧！

拼图数一数

下面两个大图被分成了好多小图，请你数一数每张小图上有几只狗，然后把相应的单词填写在小图旁边的横线上。

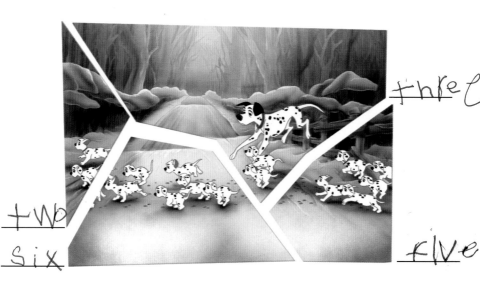

three

two

six

five

eight

nine

小狗转转转

请你用英语说出左图中有几只小狗，然后将左图中的图形沿箭头所指方向旋转两次，每次旋转90°，转完之后会变成什么样子呢？请从右图中找出正确的图案，并把答案圈起来。

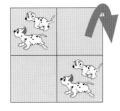

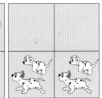

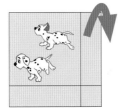

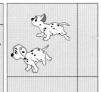

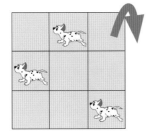
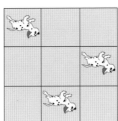
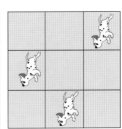
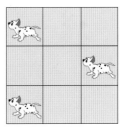

答案

拼图数一数

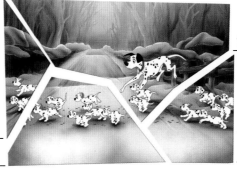

three

two

s i x

five

eight

nine

小狗转转转

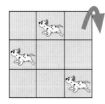   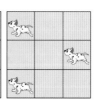